# Le Prince
# des serpents

Les Éditions du Boréal remercient le Conseil des arts du Canada pour son soutien financier ainsi que le Fonds du livre du Canada (FLC). Canadä

Les Éditions du Boréal sont inscrites au Programme d'aide aux entreprises du livre et de l'édition spécialisée de la SODEC et bénéficient du Programme de crédit d'impôt pour l'édition de livres du gouvernement du Québec. Québec ■■

Diffusion au Canada : Dimedia
Diffusion et distribution en Europe : Volumen

*Catalogage avant publication de Bibliothèque et Archives nationales du Québec et de Bibliothèque et Archives Canada*

Bergeron, Alain M.

  Le prince des serpents

  (Les Petits Pirates ; 14)
  (Boréal Maboul)
  Pour enfants de 6 ans et plus.
  ISBN 978-2-7646-2454-8

  I. Sampar. II. Titre. III. Collection : Bergeron, Alain M., 1957-  . Petits pirates ; 14. IV. Collection : Boréal Maboul.

PS8553.E674P742     2017     jC843'.54     C2017-940001-0
PS9553.E674P742     2017

ISBN PAPIER 978-2-7646-2454-8
ISBN PDF 978-2-7646-3454-7
ISBN EPUB 978-2-7646-4454-6

# Le Prince des serpents

texte d'Alain M. Bergeron
illustrations de Sampar

Boréal Maboul

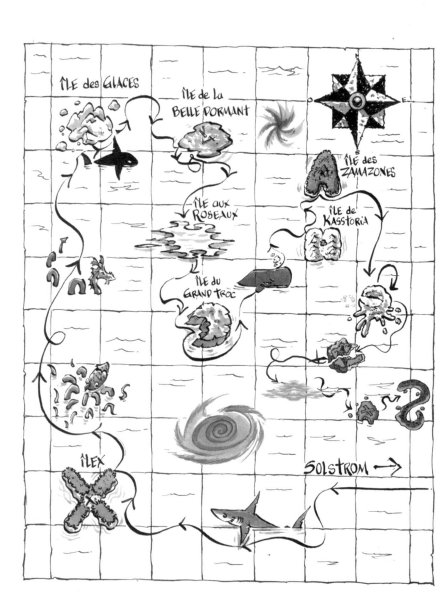

# Le valeureux équipage du Marabout

*Le pirate Jean de Louragan : jeune
capitaine et fils adoptif du pirate Suzor
de Louragan, décédé à l'âge
de 108 ans. Il a hérité de la frégate
Le Marabout et d'un bandeau
de pirate qu'il porte sur l'œil droit
ou sur l'œil gauche, selon le pied
qu'il pose le premier au sol
en se levant le matin.*

*Merlan : le mousse du bateau.
Malgré son jeune âge, il a beaucoup
de bonne volonté. Dommage qu'il soit
si distrait. Mais sur Le Marabout,
il apprend de ses erreurs.*

*Samedi : cousin éloigné de Vendredi, le copain
de Robinson Crusoé. Il a la vue perçante
d'un aigle et est tout aussi chauve.
Pas étonnant qu'il soit à la vigie. Un seul
problème : il a le vertige. Et ça, c'est étonnant !*

*Bâbord, Sabord et Tribord : triplés identiques surnommés « les terreurs de la Huitième Mer ». Bâbord est né trois minutes avant Sabord et cinq minutes avant Tribord. Un seul signe distinctif entre les trois : l'accent circonflexe sur le prénom de Bâbord.*

*Dupont-le-Claude : seul membre à bord âgé de plus de 10 ans. Presque aussi vieux que Le Marabout, il a sillonné la Huitième Mer. Second du pirate Suzor de Louragan, il est devenu le troisième de Jean de Louragan. Il est encore et toujours à la barre.*

*Zakouzie : elle s'est jointe à l'équipage après avoir été tirée d'un très long sommeil par un baiser du capitaine Jean de Louragan. Les triplés prétendent qu'une fille sur le pont d'un navire porte malheur. Tant pis pour eux !*

# Prologue

Lettre à mon père, le pirate Suzor de Louragan,

*Mon cher et regretté papa,*

*Voilà maintenant plusieurs mois, nous nous sommes lancés dans cette quête du trésor des trésors. Au fil de nos aventures, nous avons suivi les indices que tu as semés sur notre route. Pour les récolter, il nous a fallu affronter de nombreux dangers (et rater la rentrée à l'école)…*

*Souvent, la déception était au rendez-vous (sauf pour l'école). Les trésors amassés ne garnissaient pas pour autant nos coffres, ou si peu.*

*Notre plus récente étape a failli nous coûter*

la vie en raison des attaques soutenues d'un terrible serpent de mer. Je sais que pour être un pirate digne du nom de Louragan, seule la bravoure doit guider mes pas.

Mais une chose est sûre : je ne suis plus prêt à tout risquer pour atteindre notre but. J'ai compris que la vie des membres de mon équipage est plus précieuse que le trésor des trésors. Tous les trésors ne sont pas en or et en argent, comme l'affirmait si bien ton collègue, le capitaine Jack Sparrow.

Aussi ai-je décidé de ne plus poursuivre notre quête après la prochaine escale indiquée sur ta dernière carte. Que nous y trouvions ou non le trésor des trésors, nous rentrerons à notre port d'attache de Solstrom. Et nous retournerons sur les bancs d'école…

Ton fils, Jean de Louragan, le 11 novembre 1785, à minuit

P.-S. – Comme je ne peux pas vraiment t'envoyer cette lettre, je la glisserai dans une bouteille que je jetterai à la mer. On m'a dit que tu étais au ciel. Mais pour toi, le ciel ne peut être que l'océan.

# Chapitre 1

Le 12 novembre 1785, vers le milieu de l'après-midi, dans la cabine du capitaine.

— BOUM !

— « Boum ! » mon capitaine ? demande le mousse Merlan, intrigué.

Il cesse d'écrire ce que je lui dicte pour le journal de bord du *Marabout*. Je répète :

— Oui, monsieur Merlan : « BOUM ! » en majuscules, s'il vous plaît. C'est plus percutant.

— BOUM ! fait le mousse en secouant la tête.

Nous n'avons pas le temps de rédiger en détail le bilan de notre dernière aventure avec le serpent de mer. Nous nous préparons à aborder une île qui apparaît sur la carte dessinée par mon père, Suzor. Avec cette seule onomatopée, « BOUM ! », on comprend que la tête du monstre a explosé lorsqu'il a avalé un baril de poudre à canon.

Le reptile géant ne nous bloquera plus la voie vers l'île.

Sous le « BOUM ! », dans le journal de bord, Merlan réalise à la hâte une esquisse de la scène. Je le félicite : c'est qu'il est doué, le mousse !

— Une illustration vaut bien mille mots, pas vrai, mon capitaine ? me dit-il avec un grand sourire.

Il a raison.

Nous laissons ma cabine pour aller sur

le pont rejoindre Dupont-le-Claude à la barre.

Il dirige le vaisseau dans une large baie.

Deux des triplés, Bâbord et Sabord, miment un duel à l'épée. Ils ont pour armes les terribles crochets du serpent de mer. Ce sont les seuls vestiges du monstre, détruit lors du fameux « BOUM ! » !

— J'affronterai le gagnant… ou le survivant, avertit Tribord qui les observe.

Zakouzie vient à ma rencontre.

— Ils risquent de se blesser, capitaine, affirme-t-elle. Et s'il restait du venin dans les crochets ?

Je n'y avais pas pensé.

— Aïe ! se plaint Sabord.

Il a été atteint à l'épaule gauche par son frère.

— Touché ! se réjouit Bâbord.

— Nous saurons assez vite s'il y a ou non présence de venin, dis-je à Zakouzie, pas trop inquiet.

Tribord s'empare du crochet du perdant pour se mesurer au vainqueur. Il prévient son aîné :

— Gare à toi, Capitaine Crochet !

Il engage le combat.

Le vétéran pilote Dupont-le-Claude me signale que l'on peut mouiller l'ancre. Nous utiliserons la barque pour gagner la plage.

— Noooon !

Ce cri vient de Samedi, notre vigie. De son poste, il a dû regarder l'action sur le pont. Comme il souffre de vertige, il a perdu la carte. Heureusement pour lui, Zakouzie est douée d'une force exceptionnelle. Elle le saisit au vol avant qu'il ne s'écrase.

— Bel attrapé, Zakouzie, lui dis-je, admiratif.

L'ancienne reine des Zamazones aide la vigie à se remettre debout.

Tout le monde est là ? J'annonce :

— Garçons, on se rend à terre !

Et j'ajoute pour moi, dans un soupir :

— Peut-être trouverons-nous enfin le trésor des trésors…

# Chapitre 2

Tout l'équipage du *Marabout* descend sur la plage. Bâbord repère une étoile de mer géante, en partie enfouie dans le sable.

— Elle est tombée du ciel ? demande-t-il à Sabord.

Sabord saisit l'étoile par un bras. Il la lance très fort en l'air, mais elle lui retombe bien vite sur la tête.

Tribord leur fait la leçon.

— Vous n'avez rien compris ! Il faut attendre la nuit pour la renvoyer là-haut avec ses sœurs étoiles. Ça ne peut pas fonctionner en plein jour.

Bâbord et Sabord méditent sur ces paroles

tandis que Tribord replace l'étoile dans le sable. Ces triplés n'ont pas fini de m'étonner. Croire de telles choses après des mois en mer…

Tout à coup, des cris fusent à l'autre extrémité de la plage.

— Nous avons de la visite, mon capitaine, indique Dupont-le-Claude.

Une barque a accosté. Quatre hommes encadrent une jeune femme, qu'ils obligent à sortir de l'embarcation.

— Lâchez-moi ! Lâchez-moi !

Le vent porte ses cris jusqu'à nous.

— Que fait-on, capitaine ? demande le mousse Merlan.

— On ne peut pas demeurer ici, les bras croisés, capitaine ! s'exclame Zakouzie.

Elle n'espère que mon signal pour foncer.

Je tire mon épée de son fourreau.

— On y va !

Nous hurlons en chœur, tout en courant :

« RAAAAAH ! »

« RAAAAAH ! »

« RAaaa… »

Nous arrêtons de crier, parce que c'est encore loin et que nous devons avoir l'air ridicule de hurler ainsi à distance…

À mesure que nous approchons, nous constatons que ces hommes n'ont rien de très humain. Vêtus d'une simple tunique, ils ont le dos voûté, un visage de crapaud avec des yeux globuleux, une peau écailleuse et verdâtre. Leur prisonnière n'est pas de la même espèce. Elle a une tête ronde, un nez pointu, et le corps recouvert de fourrure.

Dès qu'ils nous aperçoivent, ils tentent d'entraîner leur proie vers la forêt, à proximité. Mais elle résiste. Elle en mord un au bras, ce qui les retarde suffisamment pour nous permettre d'intervenir.

Nous leur bloquons l'accès à la forêt.

— Libérez-la !

Mon ton ne laisse aucune équivoque sur ce qui se passera s'ils refusent.

— Venez donc chercher Sifaka, nous défie l'un des hommes.

— Oui ! Venez me chercher ! implore la jeune prisonnière.

Je m'écrie :

— À l'attaque !

Par la force de l'habitude, nous nous répartissons les adversaires : Zakouzie choisit l'homme à droite ; les triplés optent pour celui à leurs côtés ; Samedi et Merlan s'occupent du combattant de gauche ; Dupont-le-Claude et moi, nous luttons avec son voisin.

Les quatre hommes en ont plein les bras. Sifaka en profite pour s'enfuir. Elle rejoint la barque de ses ravisseurs. Elle empoigne les rames et, avec une force et une énergie insoupçonnées, elle prend le large.

Ce n'est pas la gratitude qui l'étouffe, celle-là !

Trois des quatre hommes sont désarmés par les petits pirates. Ils sont à genoux sur le sable, la tête penchée. Le quatrième est celui que j'affronte en compagnie de Dupont-le-Claude. Il est coriace !

Découvrant que ses alliés ont été vaincus, il jette son épée, dépité.

Je félicite mes hommes et ma fem… euh… Zakouzie.

— Une bonne ration de lait au chocolat sera notre récompense sur le bateau ! leur dis-je avec fierté.

Bâbord trouve une corne sur la plage. L'un des hommes l'aura échappée pendant la lutte.

Le triplé l'observe dans tous les sens. Ensuite, il la met sur son front et s'adresse à ses frères.

— Eh ! Je suis un rhinocéros !

Merlan, le mousse, éclate de rire.

— Je peux l'avoir ? On dirait une corne de brume…

Bâbord la lui prête.

Le mousse l'approche de sa bouche. Non !

Il ne faut pas ! Il ne doit pas…

— Non, monsieur Merlan ! Ne faites pas
ça !

« POUUUUUUUUUUUU ! »

Trop tard. Le mousse a soufflé dans la
corne. Un son sourd et puissant paraît
se répercuter dans toute l'île.

Nos ennemis échangent un regard com-
plice. Je ne suis pas content et je le fais savoir
à Merlan :

— Malheureux !

— Pourquoi, mon capitaine ? s'inquiète
le fautif.

— Pour ça, monsieur Merlan…

Des dizaines de guerriers au dos voûté et
à la face de crapaud sortent à l'instant de la
forêt, l'arme au poing.

Il n'y aura pas d'affrontement.

Toute résistance est inutile. Nous nous avouons battus.

— Quelqu'un a apporté la tapette à mousse ? peste Tribord.

# Chapitre 3

Les hommes-crapauds nous font franchir la lisière de la forêt. Nous avançons péniblement sur une centaine de mètres, puis nous débouchons dans une vaste plaine désertique. Il nous faut encore environ une heure de marche avant d'apercevoir le sombre palais de pierre vers lequel on nous escorte.

L'habitation aux multiples tours se dresse sur une large butte. Elle est solidement gardée par de nombreux soldats, identiques à nos ravisseurs.

Ces derniers nous conduisent dans la grande salle du palais. Les lieux ne sont éclairés que par de minces ouvertures pratiquées dans le toit et les murs. Un homme-crapaud y est assis sur un trône sculpté dans la pierre.

— Que m'amenez-vous là, chef de ma garde ? demande-t-il.

S'il ressemble à ses soldats, il est beaucoup plus grand et costaud. Sous ses sourcils toujours froncés, son regard reste impassible, ce qui lui procure un air sévère. Déjà, il m'est antipathique.

Le chef de la garde s'approche de lui en baissant respectueusement la tête.

— Prince Sharma, après une lutte acharnée, nous avons fait prisonniers ces étrangers sur la plage, explique-t-il, en tordant la vérité.

Le prince est surpris.

— Mais ce sont des enfants, dit-il.

Je corrige cette fausse impression.

— Nous ne sommes pas des enfants, mais des petits pirates…

Je fais les présentations, ainsi que le commandent les règles les plus élémentaires de la politesse.

— Et que venez-vous faire sur l'île du prince des serpents ? demande Sharma.

Le mousse Merlan, dans un élan d'enthou-
siasme, s'avance et répond :

— Récupérer le trés…

Vive d'esprit, Zakouzie lui plaque la main
sur la bouche et le ramène en retrait.

— Nous avons besoin d'eau douce, tout
simplement, dis-je au prince Sharma.

Mon vis-à-vis n'en croit pas un mot, évi-
demment. Soudain, un détail attire son atten-
tion. Il interroge le chef de la garde.

— Où est l'otage ? Où est la princesse Sifaka ?

Le chef de la garde baisse les yeux.

— Elle… elle s'est enfuie, mon prince.

Le prince des serpents en tremble de fureur. Il se lève de son trône.

— ENFUIE ? s'écrie-t-il.

Horreur ! Son corps se gonfle et s'étire. Il double de volume. Ses bras et ses jambes se rétractent. Le prince se transforme en un serpent géant !

Sharma darde sa langue plusieurs fois en direction du chef de la garde. Il redresse la tête, comme s'il voulait frapper l'homme. Celui-ci se jette à genoux et implore sa pitié. Tout le monde retient son souffle.

D'un geste vif, je saisis l'épée du chef de la

garde et je la brandis vers le prince des serpents.

— On se calme et on se dégonfle, je vous prie…

Ma réaction étonne Sharma. Il recule, puis change d'idée… et de forme. Il redevient luimême et esquisse un sourire glacial.

— Vous êtes courageux, jeune homme, me dit-il.

Je jette par terre l'arme du chef de la garde.

Le prince n'en a pas terminé avec ce dernier.

— Tu as échoué. Tout est à recommencer.

À ce moment, un serviteur entre en courant. Il se prosterne devant le prince, puis va lui chuchoter quelque chose à l'oreille.

— Quoi ? s'étrangle-t-il. Ce n'est pas possible !

Le revoilà en colère. Se transformera-t-il de nouveau ?

Deux autres soldats se présentent. Ils transportent chacun… un long crochet !

— Eh ! Ce sont nos épées ! se froisse Bâbord.

— Nous les avons trouvées sur leur bateau, raconte l'un des hommes.

— BOUM ! lance le mousse Merlan.

— BOUM ? questionne le prince des serpents.

— BOUM ! fait Bâbord.

— BOUM ! fait Sabord.

— BOUM ! fait Tribord.

— BOUM ? BOUM ? BOUM ? répète le prince Sharma.

— C'est tout ce qui reste de la tête du serpent de mer ! raille Zakouzie.

Le prince des serpents pousse un cri à ébranler les murs de son palais.

— VOUS SEREZ PUNIS !

# Chapitre 4

Tous les gardes s'écartent de nous et s'adossent au mur. Le chef de la garde en oublie son épée, toujours au sol. Un oubli volontaire, si j'en juge par le clin d'œil qu'il m'a adressé.

Des hommes traînent de gros vases en terre cuite. Ils les renversent sur le plancher de pierre. Les vases se brisent et libèrent leur contenu.

— Des vers de terre géants ! s'exclame Bâbord.

— On va à la pêche ! se réjouit Sabord.

— Je cours au bateau chercher les cannes à pêche ! s'écrie Tribord.

Zakouzie le rattrape à temps.

Les reptiles nous entourent. Il n'y a aucun moyen de fuir. Notre unique arme est l'épée du chef de la garde. Très mince espoir dans les circonstances. Elle ne servirait qu'à retarder l'échéance.

— Je vous donne une chance, nous avertit le prince Sharma. Vous pouvez quitter le cercle, sans danger…

Qu'a-t-il en tête ?

— Sauf une personne !

Il me montre du doigt :

— Vous, capitaine !

Je n'hésite pas une seconde.

— D'accord !

Aussitôt, les autres petits pirates protestent d'une seule voix :

— Pas question !

D'un signe du prince Sharma, une brèche s'ouvre dans le cercle des serpents.

— C'est maintenant ou jamais ! dit-il avec un malin plaisir.

Aucun de mes compagnons ne bouge. Leur attitude me bouleverse. Je serre les dents.

— Vous devez vous sauver d'ici… Vivants,

vous aurez la possibilité de poursuivre les recherches pour trouver le trésor des trésors.

En dépit de la tension engendrée par la situation, ma remarque les fait sourire.

— Partir sans notre capitaine ? dit Samedi. Allons, donc !

— Oui, mais le trésor…

Le mousse Merlan pose la main sur mon épaule.

— Le trésor ? Si vous me permettez, mon capitaine, tous les trésors ne sont pas en or et en argent…

Les mots de Merlan piquent ma curiosité.

— Je viens justement d'écrire ça…

Je sonde Merlan du regard. Le mousse ne peut cacher son malaise.

— La gaffe, souffle Zakouzie.

— Oui, mon capitaine, dit Bâbord. C'était dans la lettre à votre père…

— La lettre qui était dans la bouteille, précise Sabord.

— La bouteille qui était à la mer et que Merlan a repêchée, conclut Tribord.

J'ignore si je dois être touché ou fâché.

— Vous avez lu un courrier privé !

— SUFFIT ! s'emporte le prince Sharma.

Merlan glisse à mon oreille :

— Il n'y avait pas de destinataire sur la bouteille…

D'un geste de la main, le prince ordonne aux serpents de refermer le cercle.

— Vous avez raté votre chance…

Les petits pythons agitent la queue et font aller leur sonnette. D'ici quelques secondes, ils se partageront notre peau de petits pirates. Quelle atroce manière de conclure notre périple : dans l'estomac d'un serpent !

Subitement, la porte de la grande salle s'abat avec un fort bruit. Une masse brune, poilue et grouillante fait son entrée, des milliers de griffes martèlent le plancher de pierre. Je n'arrive pas à identifier ce que ça peut bien

être. Chose certaine, ça ne plaît pas du tout à l'hôte des lieux.

— NON ! s'écrie-t-il.

Les serpents s'éparpillent en tentant de fuir.

— Des langoustes ! hurlent les triplés.

— Des mangoustes ! corrige Zakouzie.

# Chapitre 5

Les mangoustes sont les ennemies mortelles et naturelles des serpents. Il doit y en avoir des centaines dans la salle. Elles se mettent immédiatement à l'œuvre et fondent sur les reptiles.

C'est alors qu'apparaît la créature que nous avons sauvée, la princesse Sifaka.

On aurait pu imaginer que les soldats du prince des serpents se seraient jetés sur les envahisseurs. Le chef de la garde, avec une autorité discrète, empêche ses hommes d'intervenir. Ils restent de glace, bien que la bagarre fasse rage entre les mangoustes et les serpents.

Les mammifères causent des ravages dans les rangs des reptiles, qui ne parviennent pas à fuir.

Soudain, le prince Sharma se transforme en serpent géant, ce qui est sûrement sa vraie nature, après tout. D'un coup de queue, le nouveau monstre écrase des dizaines de mangoustes.

Puis il se rue vers la princesse des mangoustes. Leur différence de taille est affolante. Le serpent ne fera qu'une bouchée de la jeune mangouste, et de nous par la suite !

Le monstre multiplie les attaques, évitées habilement par Sifaka.

Il fonce, elle recule ; il bondit vers elle, elle s'écarte. Le manège se poursuit ainsi pendant de longues minutes.

Le serpent épuise la princesse Sifaka. Profitant de sa faiblesse, il la plaque contre le mur où elle s'agite vainement.

Le prince Sharma s'apprête à lui asséner le coup fatal.

Je m'empare de l'épée laissée par le chef de la garde et, avec force, je frappe le serpent géant. Le monstre hurle de douleur.

Les mangoustes sautent sur l'occasion pour s'élancer vers la bête blessée. Assailli de toutes parts et terrassé par mille morsures, le prince Sharma s'écroule au sol.

J'abats mon arme sur son cou et lui tranche la tête. La peau du serpent prend alors une couleur brunâtre. Elle semble aussi se durcir.

Bâbord s'approche et cogne la dépouille du pied.

— Du bois ! annonce-t-il.

Je remarque qu'aucun des petits serpents ne bouge désormais.

Sabord et Tribord en prennent chacun un et se battent à l'épée.

TOC ! TOC ! TOC !

Nul doute possible. Tous les serpents ont subi le même sortilège que leur maître. Ils ont été changés en bois. Quelques mangoustes qui avaient déjà commencé à avaler un reptile le recrachent au plus vite avec dégoût.

Les gardes du prince déguerpissent, abandonnant le palais.

# Chapitre 6

Sur un simple cri de la princesse Sifaka, le bataillon de mangoustes se retire.

Nous inclinons la tête vers elle, en guise de reconnaissance. À son tour, elle nous remercie :

— Vous m'avez sauvée deux fois, courageux petits pirates. Que puis-je faire pour vous ?

De la poche de ma veste, je tire la carte de l'île. Je montre à la princesse l'endroit où nous devons nous rendre.

— Je peux vous y mener, assure-t-elle.

Nous avançons au travers de la plaine, guidés par la princesse Sifaka. Il nous faut quelques heures pour atteindre une grotte à flanc de montagne.

La princesse tend le bras dans sa direction.

— Vous trouverez là ce que vous cherchez.

Après de courts adieux, nous pénétrons dans la grotte. Heureusement, des torches y sont allumées, nous aidant à nous orienter dans la pénombre.

Nous suivons ainsi une longue galerie qui ondule à travers la montagne. Un danger nous menace-t-il à chacun de nos pas ? Nous restons aux aguets.

— Capitaine ! Beaucoup de lumière, droit devant ! s'écrie Samedi, la vigie, en tête du groupe.

Nous débouchons dans une large caverne, éclairée de façon naturelle par une ouverture béante, creusée dans la pierre.

De passer de la pénombre à une telle clarté nous aveugle. Il faut quelques minutes pour que nos yeux s'habituent.

Je retire nerveusement le bandeau de mon œil pour mieux apprécier la scène. J'ai le cœur battant, la gorge sèche, les mains moites.

Les rayons du soleil se reflètent sur des

monticules de pièces d'or et de pierres pré-
cieuses.

Jamais de ma vie n'ai-je vu autant de
richesses dans un seul lieu.

Il n'y a qu'une unique explication logique :

— Le trésor des trésors !


Le cœur léger, la tête remplie de souvenirs
et le ventre du navire gonflé d'innombrables
trésors, nous rentrons à notre port d'attache,
Solstrom.

Partis au printemps 1785, nous avons mis
presque six mois à accomplir notre mis-
sion : découvrir le trésor des trésors, caché
par mon père, le regretté pirate Suzor de
Louragan.

Il nous était impossible de tout apporter à bord du *Marabout*. Plusieurs voyages auraient été nécessaires pour vider la caverne de ses trésors.

Nous avons décidé sagement – une suggestion de Dupont-le-Claude – d'en laisser une partie sur place. Dans un lointain avenir, les petits pirates grandiront. Nous aurons peut-être des enfants qui suivront les traces de leurs parents.

Et qui sait ? À l'image de mon père Suzor, nous lancerons nos enfants sur la piste du... trésor des trésors.

En route, nous reconduisons Zakouzie à l'île des Zamazones, dont elle redeviendra la reine. Notre amie a eu sa large part du butin, malgré les protestations des triplés. Je les soupçonne d'avoir argumenté pour retarder la séparation d'avec la seule fille de l'équipage.

À Solstrom, nous retournerons à l'école... Mais pas avant de s'offrir des vacances. De longues vacances ! Courir après un trésor, ça devient épuisant à la longue !

Nous avons juré de nous revoir tous les

ans, à la date anniversaire de notre départ de Solstrom. Au-delà du trésor des trésors, nous sommes plus riches d'une indéfectible amitié.

Et, un verre de lait au chocolat à la main, nous chanterons à tue-tête :

*Quinze enfants sur le coffre au trésor*
*Yo ho ho ! Et une bouteille de lait…*
*Le rhum et la peur ont emporté les autres*
*Yo ho ho ! Et une bouteille de lait au cho-co-laaaat !*

Ce livre a été imprimé sur du papier 30 % postconsommation,
certifié ÉcoLogo et fabriqué dans une usine fonctionnant au biogaz.


Les Éditions du Boréal
4447, rue Saint-Denis
Montréal (Québec) H2J 2L2
www.editionsboreal.qc.ca

MISE EN PAGES ET TYPOGRAPHIE :
LES ÉDITIONS DU BORÉAL

ACHEVÉ D'IMPRIMER EN FÉVRIER 2017
SUR LES PRESSES DE L'IMPRIMERIE GAUVIN
À GATINEAU (QUÉBEC).